C'est la dernière semaine de classe à l'École de la mode. Les chiots se réjouissent à l'idée de recevoir leur diplôme.

— Hourra! Le grand jour est presque arrivé! jappe Montana joyeusement. J'ai tellement hâte de participer au défilé de mode de fin d'année. Je vais porter mon joli chandail rose. Je l'ai dessiné et tricoté moi-même.

— Ce défilé de mode sera magnifique, mes chéris! Comment trouvez-vous mon tutu à pois? demande Gigi en virevoltant. Adorable, n'est-ce pas?

— Oui, il te va à merveille! Je suis impatiente de montrer le collier scintillant que j'ai fabriqué! Et toi, qu'as-tu préparé pour le défilé de mode? demande Ivy en se tournant vers son ami Spike.

— J'ai fait ce bandana rouge, répond Spike. Je vais l'attacher autour de mon cou, comme ceci.

Spike tourne la tête pour bien montrer son bandana à ses camarades.

Fuji entre dans la salle de classe en trottinette, suivie de près par Clarissa.

— Et alors, les chiots, quoi de neuf? demande Fuji.

— On parle de ce que l'on portera pour le défilé de mode de fin d'année, répond Montana.

— Bonne idée! s'exclame Fuji. Moi, ce sera mon béret.

— Je l'adore! dit Clarissa gentiment. Et moi, ce sera ce tee-shirt teint à la main.

— Oh là là! Quelle élégance! s'écrie Gigi.

Sammy et Elana sont les dernières à arriver.

— Alors, vous deux, qu'est-ce que vous allez porter au défilé de mode? leur demande Clarissa.

— J'ai fabriqué cette barrette en forme de fleur avec des retailles de tissu et de dentelle, dit Sammy timidement en tournant la tête pour que les autres puissent bien la voir. Comment la trouvez-vous?

— Elle est superbe! répond Clarissa. Et toi, alors, Elana?

Elana a le museau enfoui dans son sac à dos. Elle semble chercher quelque chose.

— Oh non! dit-elle dans un souffle. Je ne trouve pas le châle que j'ai cousu pour le défilé de mode.

— Ne t'inquiète pas, dit Sammy gentiment. On va le retrouver, ton châle.

— Ouais! renchérit Clarissa. Peux-tu nous le décrire?

Elana ferme les yeux, réfléchit et dit :

— Eh bien, il est mauve avec une frange scintillante.

— Je me souviens d'avoir vu ton châle! dit Fuji. Tu me l'as montré l'autre jour pendant le dîner.

— Tu as raison! jappe Elana. Il faisait froid dans la cafétéria, alors je l'ai mis pour me réchauffer, et aussi pour te le montrer.

— Commençons par aller voir à la cafétéria, suggère Fuji. Tu l'as peut-être oublié là-bas après le dîner.

— Excellente idée! approuve Montana. Ne t'inquiète pas, Elana. On va le retrouver.

Elana hoche la tête. Elle est tellement contente d'avoir des amis aussi merveilleux.

— Allons-y, les amis! jappe Ivy. On va le trouver!

Les chiots reniflent dans tous les recoins de la cafétéria.

— Je n'ai rien trouvé, dit Sammy.

— Désolé Elana, dit Spike en sortant de la cuisine. Je n'ai pas trouvé ton châle. Mais j'ai trouvé des biscuits au beurre d'arachide.

— Miam! dit Fuji. Je pense qu'une collation nous ferait du bien à tous.

FUJI

SPIKE

— Vous vous rappelez le jour où nous avons tous eu un « A » pour l'examen sur la mode? demande Spike en grignotant. On nous a servi des biscuits pendant la classe pour nous récompenser.

— Je m'en souviens très bien! répond Ivy. Nous avions étudié tous ensemble pour cet examen. Et dire que nous allons obtenir notre diplôme, maintenant!

— À propos de diplôme, reprend Spike, pourquoi ne pas aller voir dans l'auditorium? Elana y a peut-être oublié son châle après la répétition de ce matin.

Les chiots se dirigent vers l'auditorium. Fritz, le machiniste, est en train de balayer la scène.

— Salut les chiots, dit Fritz. Quoi de neuf?

— Nous cherchons le châle d'Elana, aboie Sammy. L'auriez-vous vu quelque part?

— Hum... j'ai bien peur que non, répond Fritz. Désolé Elana. Mais vous pourriez peut-être vérifier dans les coulisses.

Sammy fouille partout dans les coulisses.

— Eh bien, Elana, je n'ai pas retrouvé ton châle, dit Sammy. Mais sur ce portemanteau, j'ai trouvé les costumes que nous avons conçus ensemble pour *Rover et Juliette*.

— C'était vraiment formidable de travailler ensemble sur cette pièce de théâtre! se rappelle Fritz, tout joyeux.

— Ah oui! soupire Gigi, nostalgique. On pourrait essayer les costumes encore une fois, juste pour le plaisir?

— Je sais! s'écrie soudainement Fuji. Je viens de me rappeler qu'Elana a essayé son châle hier soir, au manoir de Puppyville. Je suis sûre qu'il est encore là-bas.

— Tu as raison! s'exclame Elana. J'ai dû l'oublier dans le salon du manoir de Puppyville.

Elle se tourne vers Fuji.

— Merci! lui dit-elle. J'ai de la chance d'avoir des amis aussi épatants.

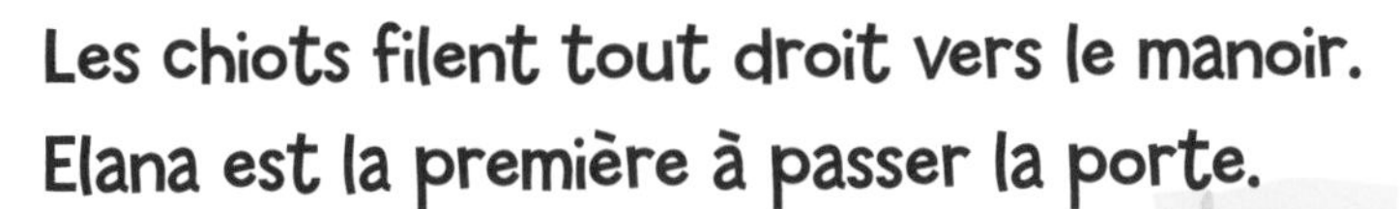

Les chiots filent tout droit vers le manoir.
Elana est la première à passer la porte.

— Le voilà! annonce-t-elle.

— Hourra! s'écrient les chiots.

— On ferait mieux de se préparer pour le défilé et la cérémonie des diplômes, dit Clarissa.

— Clarissa a raison, aboie Ivy. Le spectacle doit débuter dans quelques heures.

Quelques heures plus tard, le spectacle commence.

Les uns après les autres, les amis défilent sur la passerelle, chacun exhibant ses créations sous les applaudissements enthousiastes de la foule.

Une fois le défilé de mode terminé, les chiots mettent leur chapeau de finissant sur la tête.

— C'est l'heure de recevoir nos diplômes! jappe Ivy.

— Nous avons réussi, les copains, enchaîne Montana. Bravo à tous!

— Nous sommes tous des champions! jappe Elana.